KB082292

저자소개

지승주 TOTOJI

저자는 스타키 보청기 종로센터에서 15 년째 센터장으로 재직 중인 준 의료인으로서, 난청인에게 보청기 착용을 위한 보청기 상담, 청력검사, 보청기 조절, 보청기 관리 등의 업무를 하고 있다.

청능사, 청각사, 청각관리사 등의 자격증을 취득하고 있으며, 업무에 시너지 효과를 낼 수 있는 다양한 분야의 자격증도 보유하고 있다.

또한, 한국 AI 작가협회 주관한 AI 강사양성과정을 이수하였고, 이를 계기로

<신중년을 위한 세상에서 가장 쉬운 AI 가이드>(부크크 2023.12.01.)

<소리의 선물: 보청기의 역할과 중요성>(부크크 2024. 03.08.)

<마법 같은 순간들: 미아의 고군분투 이야기>(부크크 2024.04.11.)

<Novaedu 프롬프트로 그리는 AI 그림 1>(부크크 2024.07.23.)

이라는 종이책과 전자책을 출판하였다.

이메일 stepano0116@gmail.com

블로그 https://blog.naver.com/7337713

저자소개

김예은 Novaedu

[이력]

현) 한국 AI 작가협회 이사장

현) 한국빅데이터교육협회 교육이사

현) WCC 1 기(뤼튼공인컨설턴트)

전) 고려아카데미컨설팅 기업체 강의평가전문위원

전) 서울시교육연수원 전문강사(IT 분야)

[저서]

- 제페토빌드잇 사용방법
- 메타버스 200% 활용방법
- 나만의 정원 메타버스
- 챗 GPT 업무에 쉽게 활용하기(건축감리실전편/인테리어건축)
- 로봇터틀과 함께하는 미래여행(기초편/심화편)
- Novaedu 프롬프트로 그리는 AI 그림 1

[전시 이력]

- 2022 선물 NFT 콜렉션 그룹전, 프랑스 툴루즈/스페이셜
- 2023 이시카와 NFT 한일 그룹전, 이시카와 하모니 갤러리
- 2023 한/중/일 AI 르네상스 그룹전, 아트불 갤러리 청담
- 2023 귀여운 큰 나들이 전시 Season2, 성남 메종 브레첼
- 2023 UCL Winter Collection NFT 그룹전/ 매봉 CAFE HYPE
- 2023 PCW NFT Exhibition in TOKUSIMA 그룹전, 일본 도쿠시마
- 2023 가장 전통적인 공간과 메타버스의 만남 그룹전, 북촌한옥마을
- 2023 정부혁신박람회 그룹전, 부산 벡스코 제 2 전시장
- 2023 Pararell Universe 展 1st 그룹전, YMCA 다오아트스페이스
- 2024 Pararell Universe 展 2st 그룹전, 인도 우미라 아트 갤러리
- 2024 그림책 마음을 잇다, 인사동

Email. yeeun742@gmail.com

SNS. https://www.instagram.com/novaedu.artist/

https://x.com/metatrip_edu

Channel. https://www.youtube.com/@metaedu77

https://blog.naver.com/elley2/

Novaedu 프롬프트로 그리는 AI 그림 2
(AI 그림, 토토지와 함께 펼쳐봐!)

지승주 TOTOJI, 김예은 Novaedu 지음

BOOKK

머리말

AI 가 만든 예술의 흥미진진한 세계에 오신 것을 환영합니다! " Novaedu 프롬프트로 그리는 AI 그림(AI 그림, 토토지와 함께 펼쳐봐!)"에서 이 책은 독자들이 이전과는 전혀 다른 방식으로 기술과 상상력을 혼합하는 창의적인 여정을 시작하도록 초대합니다.

이 책은 예술 영역에서 인공지능의 놀라운 능력을 탐색할 때 친절한 안내자가 되도록 출간되었습니다. Novaedu 의 혁신적인 프롬프트와 AI 아티스트 친구 TOTOJI 의 매력적인 안내를 통해 독자들은 AI 아트가 얼마나 재미 있고 접근하기 쉬운지 발견하게 될 것입니다.

당신이 발견하게 될 것:

노바에듀 프롬프트로 AI 아트 만들기

이 책의 실용적인 접근 방식을 강조합니다. 독자들은 Novaedu 가 신중하게 선택해서 제공한 프롬프트를 사용하여 디지털 걸작에 영감을 주고 형성하는 방법을 배우게 됩니다.

토토지와 AI 아트를 펼쳐보세요!

이 부분에서는 AI 예술 창작의 인터랙티브하고 즐거운 경험에 중점을 둡니다. TOTOJI 는 여러분의 예술적 잠재력을 펼치고 그 과정을 흥미롭고 즐겁게 만드는 동반자가 될 것입니다.

AI 에 대해 호기심이 있는 초보자이든, 새로운 매체를 탐구하려는 숙련된 예술가이든, 이 책은 모든 사람을 위한 내용을 담고 있습니다. 독자에게 기본 사항을 안내하고, 영감을 주는 프롬프트를 제공하며, AI 의 도움으로 창의적인 비전을 현실로 구현하는 방법을 보여줍니다.

모든 페이지에서 독자는 AI 가 어떻게 창의력을 향상하고 예술의 새로운 가능성을 열어줄 수 있는지에 대한 새로운 통찰력을 얻게 될 것입니다. 이 책은 여러분이 디지털 도구를 잡고, TOTOJI 의 리드를 따르고, AI 예술의 놀라운 세계에 빠져들도록 권장합니다.

창의성과 혁신의 여정에 오신 것을 환영합니다.

AI 아트의 경이로움을 함께 펼쳐보세요!

일러두기

Novaedu 와 TOTOJI 와 함께 AI 생성 예술의 창의적인 도전에 오신 것을 환영합니다! 이 책은 기술과 창의성이 함께 어우러지는 독특하고 매력적인 과정을 안내합니다. 이 챌린지에서 따라야 할 단계는 다음과 같습니다.

Novaedu 는 이미지를 제공합니다.

노바에듀는 초기 이미지를 제공하여 챌린지를 시작합니다. 이 이미지는 전체 창작 과정에 영감을 줍니다.

TOTOJI 는 프롬프트로 이미지를 설명합니다.

TOTOJI 는 주어진 이미지를 분석하고 해당 이미지의 특징을 기반으로 설명 프롬프트를 생성합니다. 이 단계에서는 시각적 요소를 자세한 텍스트 설명으로 변환하는 데 중점을 둡니다.

프롬프트에서 이미지 생성

TOTOJI 가 생성한 프롬프트를 사용하여 AI 모델이 새로운 이미지를 생성합니다. 이 단계에서는 AI 가 텍스트 설명을 해석하여 시각 예술을 제작하는 방법을 보여줍니다.

Novaedu 는 원본 이미지의 프롬프트를 제공합니다.

Novaedu 는 초기 이미지를 생성하는 데 사용된 프롬프트를 표시합니다. 이를 통해 원래 프롬프트와 TOTOJI 에서 만든 프롬프트를 비교할 수 있습니다.

TOTOJI 는 제공된 프롬프트를 수정합니다.

TOTOJI 는 원본 메시지를 가지고 창의적으로 조정하고 변형합니다. 이 수정된 프롬프트는 새롭고 독특한 예술 작품을 생성하는 데 사용됩니다.

이러한 단계를 통해 독자들은 인간의 창의성과 AI 능력 간의 흥미로운 상호작용을 목격하게 될 것입니다. 챌린지의 각 단계는 설명과 프롬프트가 예술적 결과물에 어떻게 영향을 미칠 수 있는지 보여주며 풍부하고 다양한 AI 생성 예술 컬렉션으로 이어집니다.

노바에듀와 토토지가 함께 AI 아트를 만들고 탐구하는 여정을 즐겨보세요

목 차

챌린지라서 목차와 페이지를 생략하고

챌린지의 일자별로 정리하였습니다.

DES.240701

이미지를 묘사해 보세요!

TOTOJI240701DES.

The illustration of the adorable orange and white tiger cub with expressive eyes looking out from an orange earthenware pot, surrounded by lush maple leaves and colorful flowers.

무성한 단풍잎과 형형색색의 꽃으로 둘러싸인 오렌지색 토기 냄비에서 내다보는 표정이 풍부한 눈을 가진 사랑스러운 오렌지색과 흰색 호랑이 새끼의 그림

PROMPT240701

Cute kawaii cat in garden pot

간단하죠?

귀여운 고양이가 정원 화분에 있어요 ^^

여기서 kawaii 는 일본어로 귀엽다는 뜻으로 사람, 사물 또는 스타일이 귀여운 것을 나타내는 용어예요.

스타일을 이모(emo), 코티지코어(cottagecore) 등 다양한 스타일로 변형해보세요 ^^

He illustration of the cute kawaii tiger with big, expressive eyes sitting in a garden pot, surrounded by lush greenery and colorful flowers.

무성한 녹지와 다채로운 꽃으로 둘러싸인 정원 화분에 앉아 크고 표정이 풍부한 눈을 가진 귀여운 호랑이의 그림

DES. 240702

이미지를 묘사해보세요.

TOTOJI240702DES.

The illustrations of a large park with children having a picnic, surrounded by light green grass, pretty flowers, cherry blossom trees with petals flying, a hang glider in the sky, and puffy clouds over a mountain in the distance.

아이들이 소풍을 가는 넓은 공원, 연한 푸른 잔디, 예쁜 꽃, 꽃잎이 흩날리는 벚꽃나무, 하늘을 나는 행글라이더, 멀리 산 위로 뭉게구름이 있는 넓은 공원의 일러스트

PROMPT240702

″A vibrant spring scene in a beautiful park filled with blooming cherry blossom trees. The sky is a clear, bright blue with a few fluffy white clouds. The ground is covered with fresh green grass and sprinkled with colorful wildflowers. People are enjoying the warm weather, some having a picnic on a blanket, others strolling along the pathways. Children are flying kites, and a gentle breeze is scattering cherry blossom petals through the air. The overall atmosphere is cheerful and full of life, capturing the essence of spring."

"만개한 벚꽃나무로 가득한 아름다운 공원의 활기찬 봄 장면. 하늘은 맑고 밝은 파란색이며 몇 개의 솜털 같은 흰 구름이 떠 있다. 땅은 신선한 녹색 잔디로 덮여 있고 형형색색의 야생화가 뿌려져 있다. 사람들이 따뜻한 날씨를 즐기며, 어떤 사람들은 담요 위에서 피크닉을 하고 있고, 다른 사람들은 길을 따라 산책을 하고 있다. 아이들은 연을 날리고, 부드러운 바람이 벚꽃 잎을 공중에 흩뿌린다. 전체적인 분위기는 명랑하고 생기 넘치며 봄의 본질을 포착한다."

그래서 특별한 표현은 없는 vibrant 라는 것이 색다르시죠? GPT 에게 문의했습니다.

"Vibrant"는 생동감 있고 활기찬 것을 의미합니다. 무언가 가 "vibrant"하다고 할 때, 그것은 매우 밝고 강렬하며 에너지가 넘친다는 뜻입니다.

예시를 통해 더 쉽게 이해해볼까요?

예시 1: 색상

문장: The vibrant colors of the flowers made the garden look like a painting.

설명: 여기서 "vibrant colors"는 매우 밝고 강렬한 색상을 의미합니다. 꽃들이 너무 생동감 있고 선명한 색깔을 가지고 있어서 마치 그림처럼 보인다는 뜻입니다.

예시 2: 도시의 분위기

문장: The city is kown for its vibrant nightlife.

설명: "Vibrant nightlife"는 도시의 밤이 매우 활기차고 에너지 넘치는 분위기를 의미합니다. 사람들이 많고, 음악이 흐르고, 활동이 많아서 매우 생동감 있다는 뜻입니다.

예시 3: 성격

문장: Her vibrant personality makes her the life of the party.

설명: "Vibrant personality"는 그 사람의 성격이 매우 활기차고 에너지가 넘친다는 뜻입니다. 그 사람 덕분에 파티가 더 재미있고 생동감 있게 느껴진다는 의미입니다.

이처럼 "vibrant"는 무엇이든지 생동감 있고 활기찬 상태를 설명할 때 사용할 수 있습니다.

TOTOJI240702PROMPT

A vibrant spring scene in a beautiful park full of cherry blossom trees in full bloom. The sky is clear and bright blue with a few fluffy white clouds floating around. The ground is covered in fresh green grass and sprinkled with colorful wildflowers. People enjoying the warm weather. Having fun, some people are picnicking on blankets, others are walking along the road, and a gentle breeze scatters cherry blossom leaves in the air. The overall atmosphere is cheerful and lively, the essence of spring.

"만개한 벚꽃나무로 가득한 아름다운 공원의 활기찬 봄 장면. 하늘은 맑고 밝은 파란색이며 몇 개의 솜털 같은 흰 구름이 떠 있다. 땅은 신선한 녹색 잔디로 덮여 있고 형형색색의 야생화가 뿌려져 있다. 사람들이 따뜻한 날씨를 즐기며, 어떤 사람들은 담요 위에서 피크닉을 하고 있고, 다른 사람들은 길을 따라 산책을 하고 있다. 아이들은 연을 날리고, 부드러운 바람이 벚꽃 잎을 공중에 흩뿌린다. 전체적인 분위기는 명랑하고 생기 넘치며 봄의 본질을 포착한다."

동일하게 했어요!

DES.240703

이미지를 묘사해보세요.

TOTOJI240703DES.

The close-up shot of the light pink cherry blossoms with vivid red stamens, set against a blurred background of a hill reflected in the lake.

봄의 연분홍 벚꽃이 만개한 근접촬영, 배경은 호수가에 건너편 언덕이 흐릿하게 호수물에 반사된 채 비치고, 꽃술 쪽이 매우 빨간 벚꽃의 선명 함을 부각시키고자

나머지는 30%정도의 브라인드 처리함

PROMPT240703

A picturesque scene of a lake in a Japanese-style park, adorned with blooming cherry blossoms, creating a dreamy and serene atmosphere.

흐드러지게 핀 벚꽃으로 장식된 일본식 공원의 그림 같은 호수 풍경이 몽환적이고 고요한 분위기를 연출합니다.

여기서 카메라 기법을 몇 가지 더 알려 드릴게요.

자세한 건 아래의 구글시트를 참고하세요.

https://docs.google.com/spreadsheets/d/1kdJwVY6w4g0Fwm5ZxlWGg2kBmbfyDpOLfjIAxAYWptk/edit?usp=sharing

필터 프롬프트

유형	필터 설명	프롬포트 예시
Vintage Filter (빈티지 필터)	과거의 사진처럼 보이게 하는 효과, 색상을 페이드하고 채도를 낮춥니다.	"A vintage-filtered photo of an old car parked on a cobblestone street."
Black and White (흑백 필터)	컬러를 제거하고 흑백으로 표현, 클래식하고 시간을 초월한 느낌을 줍니다.	"A black and white portrait of an elderly man with deep expressive eyes."
Sepia (세피아 필터)	갈색 톤의 색상 필터, 옛날 사진의 느낌을 재현합니다.	"A sepia-toned landscape of a quiet village with old wooden houses."
High Contrast (고대비 필터)	명암 대비를 강조하여 더욱 드라마틱한 이미지를 만듭니다.	"High contrast image of a bustling cityscape, emphasizing the light and shadows."
Soft Focus (소프트 포커스 필터)	이미지의 선명도를 부드럽게 하여 꿈꾸는 듯한 효과를 줍니다.	"Soft focus shot of a bride on her wedding day, creating a dreamy atmosphere."
HDR (HDR 필터)	높은 동적 범위로 세부 사항을 강화하고 더 선명한 이미지를 생성합니다.	"An HDR photo of a mountain range, enhancing the texturesof the rocks and foliage."
Saturated (채도 강화 필터)	색상의 강도를 높여 더욱 생동감 있는 이미지를 만듭니다.	"A saturated view of a colorful market, the fruits and fabrics vivid and bright."

날씨 프롬프트

날씨 유형	날씨 유형 설명	프롬포트 예시
Clear Sky (맑은 하늘)	맑고 푸른 하늘, 일반적으로 밝고 긍정적인 분위기를 표현할 때 사용됩니다.	A bright day at the beach with a clear blue sky and gentle waves.
Overcast (흐린 날)	구름이 많이 끼어 태양이 보이지 않는 상태, 우울하거나 심오한 분위기를 만들기에 적합합니다.	An overcast day in a quiet forest, creating a moody and introspective atmosphere.
Rainy (비오는 날)	비가 내리는 상황, 우울하거나 생동감 있는 장면을 만들 수 있습니다.	A rainy day in the city, streets glistening with wet reflections.
Snowy (눈오는 날)	눈이 내리는 장면, 조용하고 평화로운 느낌을 줄 수 있습니다.	A snowy village at dusk, with soft snowflakes gently falling on rooftops.
Foggy (안개 낀 날)	안개로 가득 찬 장면, 신비로우며 때로는 고독한 느낌을 줄 수 있습니다.	A foggy morning on a country road, the landscape shrouded in mist.
Stormy (폭풍우)	강한 바람과 폭우가 있는 장면, 드라마틱하고 강렬한 표현에 적합합니다.	A stormy sea with high waves and dark clouds looming overhead.
Sunny (화창한 날)	태양이 강렬히 비치는 날,활기차고 에너지 넘치는 이미지를 생성할 수 있습니다.	A sunny day at a bustling outdoor market, vibrant colors and shadows.

카메라 유형 프롬프트

카메라 유형	카메라 설명	카메라 프롬포트 예시
DSLR Camera (DSLR 카메라)	다용도 고화질 카메라로 다양한 렌즈와 설정이 가능합니다.	A high-quality portrait shot with a DSLR camera, capturing sharp details and vibrant colors.
Mirrorless Camera (미러리스 카메라)	경량화된 카메라로 좋은 이미지 품질을 제공합니다.	A dynamic street photography scene shot with a mirrorless camera, focusing on the movement and flow of the city.
Film Camera (필름 카메라)	아날로그 감성을 담은 올드스쿨 카메라로, 필름의 질감과 색감을	A nostalgic street scene shot on film, highlighting the grainy texture and warm tones of the film camera
Action Camera (액션 카메라)	모험과 액티비티 상황에 적합합니다.	An action-packed mountain biking scene shot with an action camera, showcasing the camera's durability and wide-angle capture.
360 Degree Camera (360도 카메라)	주변 환경을 360도로 촬영할 수 있는 카메라로, 몰입감 있는 경험을 제공합니다.	A 360-degree view of a festival, capturing the excitement and atmosphere in every direction
Pinhole Camera (핀홀 카메라)	매우 간단한 구조의 카메라로, 독특한 시각 효과와 소프트 포커스	A soft-focus landscape image taken with a pinhole camera, offering a unique artistic perspective.
Drone Camera (드론 카메라)	공중에서 촬영하는 카메라로, 새의 눈으로 본 듯한 탁 트인 경치를	An aerial shot of a winding river through lush forests, captured with a drone camera.

카메라 렌즈 프롬프트

렌즈 설명	프롬포트 예시	
Wide-angle Lens (광각 렌즈)	넓은 시야를 제공하여 광대한 풍경이나 장면을 포착하는 데 이상적입니다.	A wide-angle view of a sprawling cityscape at dusk.
Telephoto Lens (망원 렌즈)	멀리 떨어진 객체를 크게 확대하여 세밀한 디테일을 캡처합니다.	A telephoto lens shot of a climber on a distant mountain peak.
Fisheye Lens (어안 렌즈)	매우 넓은 시야를 제공하며, 이미지 중앙을 부풀리고 주변을 왜곡하여 독특한 효과를 만듭니다.	Fisheye lens view of a skateboarder in an urban setting.
Macro Lens (매크로 렌즈)	매우 가까운 거리에서작은 객체의 세밀한 디테일을 포착하는 데 사용됩니다.	Macro lens shot of morning dew on a spider web.
Prime Lens (고정 초점 렌즈)	고정된 초점 거리를 가지며, 보통 더 밝고 선명한 이미지를 생성합니다.	Prime lens portrait of a woman in soft evening light.
Zoom Lens (줌 렌즈)	다양한 초점 거리를 조절할 수 있어, 한 렌즈로 여러 종류의 촬영이 가능합니다.	Zoom lens capture of an urban festival from afar.

카메라샷 프롬프트

카메라 샷 유형	카메라 샷 설명	프롬포트 예시
Close-up (클로즈업)	대상의 작은 부분이나 세부사항에 초점을 맞춘 샷	A close-up shot of a dew-covered spider web, morning light.
Wide shot (와이드 샷)	대상을 넓은 배경이나 풍경 속에서 보여줍니다.	A wide shot of a bustling city street scene at sunset.
Point of view shot (포인트 오브 뷰 샷)	특정 캐릭터나 객체의 관점	Point of view shot from the perspective of a running dog in a park.
Bird's eye view (버드아이 뷰)	상공에서 내려다보는 시점으로, 매우 높은 각도에서 촬영	Bird's eye view of a colorful carnival from above.
Low angle (로우 앵글)	아래에서 위로 향하는 낮은 각도에서 대상을 촬영	Low angle shot of towering skyscrapers against a clear sky.
Dutch angle (더치 앵글)	카메라를 기울여서 비틀어진 시각적 효과를 생성	Dutch angle shot of an abandoned house, creating a sense of unease.
Tracking shot (트래킹 샷)	움직이는 대상을 따라가며 촬영합니다.	Tracking shot of a child running through a field of wildflowers.
Panning (팬닝)	카메라를 가로로 움직여서 넓은 영역을 촬영	Panning shot of a marathon race, capturing the energy and motion.
Zoom in/ Zoom out (줌인/줌아웃)	카메라의 줌 기능을 사용하여 대상에 접근하거나 멀어집니다.	Zoom in on an intricate clock mechanism.

조명 프롬프트

조명 유형	조명 설명	프롬포트 예시
Natural Light (자연광)	자연에서 오는 빛, 일반적으로 부드럽고 확산된 조명을 제공합니다.	"A forest path illuminated by soft natural light filtering through the trees."
Golden Hour (골든 아워)	해질 무렵의 따뜻하고 부드러운 빛, 사진가들에게 매우 인기 있는 조명입니다.	"A couple walking on the beach during the golden hour, with long shadows and warm light."
Blue Hour (블루 아워)	해가 지고 난 직후의 푸른빛이 감도는 시간, 평화롭고 신비로운 분위기를 만듭니다.	"A cityscape during the blue hour, with lights twinkling and a cool blue sky."
Backlight (백라이트)	대상 뒤에서 빛이 오는 경우, 실루엣을 만들거나 대상을 뚜렷하게 강조할 수 있습니다.	"A silhouette of a tree against the setting sun, backlit and dramatic."
Hard Light (하드 라이트)	강렬하고 직접적인 빛, 선명한 그림자와 강한 대비를 생성합니다.	"A street scene under harsh midday sun, creating deep shadows and bright highlights."
Soft Light (소프트 라이트)	간접적이거나 확산된 빛, 부드러운 그림자와 섬세한 톤을 제공합니다.	"An indoor portrait lit by soft light coming from a nearby window."
Neon Light (네온 라이트)	인공적인 네온 조명, 생동감 있고 현대적인 분위기를 연출합니다.	"A vibrant street at night illuminated by neon signs and colorful lights."

TOTOJI240703PROMPT

The picturesque lake scenery of the Japanese-style park with blooming cherry blossoms and the Golden Pavilion.

picturesque lake scenery with cherry blossoms in full bloom image with cherry blossoms having very red stamens.

벚꽃이 만발한 일본식 공원과 금각사의 그림 같은 호수 풍경, 매우 붉은 수술이 있는 벚꽃

아기자기하네요. 어떤 플랫폼으로 만드셨어요?

DES.240704

이미지를 묘사해보세요.

I LOVE SPRING
SPRING

TOTOJI240704DES.

A notebook with thin lines horizontally, a spring vertically on the left, and a torn edge. The words 'I LOVE SPRING' are written on the top 1/5 of the note, and the left hand of a young man is on the bottom 4/5. The two are smiling happily with their arms spread out while holding the child's right hand. There is a heart shape in the middle, and in some cases, the heart shape is drawn in pink. On each side of the notebook, a ballpoint pen is placed vertically after drawing. The eyes of the two children are represented by black dots. The hair is sloppy like a chestnut, and the girl's hair is tied on both sides. The two children's figures were wrapped in a speech bubble-shaped star. To emphasize the child's drawing, there are a few leftover breadcrumbs scattered across the notebook and floor. The color of the note is light off-white.

가로로 얇게 줄 쳐 있고, 왼쪽에 세로방향으로 스프링이 있고, 가장자리가 뜯겨져 있는 노트, 노트 상단 1/5 지점에 'I LOVE SPRING' 이라고 글씨가 쓰여져 잇고, 아래 4/5 부위에는 어린남자의 왼손이 어린여자의 오른손을 잡고 둘이는 양팔을 벌려 즐겁게 웃고 있는 모습, 중간 중간에 하트모양이 있고 일부는 하모 모양이

분홍색으로 그려 지기도 함. 노트 양 옆에는 그림을 그리고 난 후 볼펜이 하나씩 세로로 놓여 있음. 두 어린이의 눈은 검은 점으로 표현. 머리카락은 밤송이처럼 엉성하게, 여자아이 머리는 양쪽에 묶음. 두 어린이의 모습을 말풍선 모양의 별모양으로 감싸 주었다. 어린이가 그린 그림을 강조하기 위해 노트와 마루 바닥위에는 먹다 흘린 빵 부스러기가 몇개 흩어져 있다. 하트 풍선 너무 귀여워요!!

PROMPT240704

Cute cartoon stickmen drawing of two lovers, cartoon figures, lifting up a torn part of the paper. drawn on lined notebook paper. the paper has a jagged hole in it, showing the paper behind it. a sense of depth.. they are writing the word "I love Spring" in BIG large text, hearts are all over the page.

두 연인의 귀여운 만화 스틱 맨 그림, 만화 인물, 종이의 찢어진 부분을 들어 올리는 그림. 줄이 그어진 공책 종이에 그려져 있습니다. 종이에 뾰족한 구멍이 있어 뒤에 종이가 보입니다. 깊이 감... 그들은 큰 글씨로 "I love Spring"이라는 단어를 쓰고 있고, 하트는 페이지 전체에 걸쳐 있습니다.

다양하게 변경해보세요!!

여기서 중요한 표현은

cute cartoon stickman drawing of~~

그리고 큰 글씨는 BIG large text 에요 ^^

TOTOJI240704PROMPT

The cute cartoon stickmen drawings of two lovers on lined notebook paper. They are lifting up a torn part of the paper, revealing a jagged hole with depth, and writing "I love Starkey H.A." with hearts all over the page. I hope you like them!

줄이 그어진 노트 용지에 두 연인의 귀여운 만화 스틱맨 그림이 그려져 있습니다. 그들은 종이의 찢어진 부분을 들어올리며 깊이 있는 들쭉날쭉한 구멍을 드러내며 "I love Starkey H.A."라고 쓰고 있습니다. 페이지 전체에 하트가 있습니다. 당신이 그것을 좋아하길 바랍니다.

DES. 240705

이미지를 묘사해보세요.

TOTOJI240705DES.

The abstract image centered around translucent flower petals in soft pastel colors. The design aims to create a delicate and harmonious composition with subtle and light effects, incorporating depth and fluidity. If you need any further modifications or have additional requests, feel free to let me know!

부드러운 파스텔톤의 반투명한 꽃잎을 중심으로 한 추상적인 이미지. 디자인은 깊이와 유동성을 결합하여 미묘하고 가벼운 효과로 섬세하고 조화로운 구성을 만드는 것.

PROMPT240705

Create an abstract image of a flower in soft pastel colors. The flower should have flowing translucent petals with a mix of colors representing spring. The design should have an ethereal, dreamy feel with soft gradients and a sense of depth and movement in the petals. Include subtle highlights and shadows to emphasize the delicate, otherworldly look of the flower. There should be no text in the image

부드러운 파스텔 색상으로 꽃의 추상적인 이미지를 만듭니다. 꽃은 봄을 상징하는 색상이 혼합된 반투명 꽃잎이 흐르고 있어야 합니다. 부드러운 그라데이션과 꽃잎의 깊이감과 움직임이 있는 미묘하고 몽환적인 느낌을 주는 디자인이어야 합니다. 꽃의 섬세하고 이국적인 모습을 강조하기 위해 미묘한 하이라이트와 그림자를 포함하세요. 이미지에 텍스트가 없어야 합니다.

저는 봄을 상징하는 색상이 혼합된 반투명 꽃잎(a mix of colors representing spring)이라고 적었어요. 그리고 --no text 라고 적어도 되지만 There should be no text in the image 라고 확실하게 이야기해 두었습니다.

포함해야 한다고 하는 부분은 Include 라고 적으시면 되요. 여기서 미묘한 하이라이트(subtle highlights) 그리고 그림자(shadows)라고 넣었답니다.

한 번 다양하게 변형해서 만들어보세요!

TOTOJI240705PROMPT

Create an abstract image of a flower in soft pastel colors. The flower should have flowing translucent petals with a mix of colors representing spring. The design should have an ethereal, dreamy feel with soft gradients and a sense of depth and movement in the petals. Include subtle highlights and shadows to emphasize the delicate, otherworldly look of the flower. There should be no text in the image

부드러운 파스텔 색상으로 꽃의 추상적인 이미지를 만듭니다. 꽃은 봄을 상징하는 색상이 혼합되어 흐르는 반투명 꽃잎을 가지고 있어야 합니다. 디자인은 부드러운 그라데이션과 깊이 감, 꽃잎의 움직임을 통해 천상적이고 몽환적인 느낌을 주어야 합니다. 섬세한 하이라이트와 그림자를 포함하여 꽃의 섬세하고 초자연적인 모습을 강조하세요. 이미지에는 텍스트가 없어야 합니다.

DES.240706

이미지를 묘사해보세요.

TOTOJI240706DES.

Create a whimsical and playful illustration featuring a variety of happy objects and elements. Include bright, vibrant colors and simple, clean lines. The design should feature: Cartoon-like flowers with smiling faces in various colors. Cute fruits with friendly expressions, like apples, lemons, and oranges. Everyday objects like a bottle, cup, and a popsicle, all with cheerful faces. A mix of nature elements such as leaves, stems, and small flowers. A cheerful, light-hearted atmosphere with a cohesive color scheme that includes warm yellows, oranges, reds, and cool blues and greens. Ensure the design feels lively and inviting, with a consistent style and a playful tone. No text should be included in the image.

다양하고 행복한 개체와 요소를 갖춘 기발하고 재미있는 일러스트레이션을 만들어 보세요. 밝고 생동감 넘치는 색상과 단순하고 깔끔한 선을 포함합니다. 디자인에는 다음이 포함되어야 합니다. 다양한 색상의 웃는 얼굴을 가진 만화 같은 꽃. 사과, 레몬, 오렌지 등 친근한 표정의 귀여운 과일들. 병, 컵, 아이스바와 같은 일상용품은 모두 쾌활한 얼굴을 가지고 있습니다. 잎, 줄기, 작은 꽃과 같은 자연 요소가 혼합되어 있습니다. 따뜻한 노란색, 주황색, 빨간색, 시원한 파란색과 녹색이 포함된 조화로운 색상 구성으로 밝고 경쾌한 분위기를 연출합니다. 일관된 스타일과 경쾌한 톤으로 디자인이 생동감 있고 매력적인 느낌을 갖도록 하세요. 이미지에는 텍스트가 포함되어서는 안 됩니다.

PROMPT240706

Cute doodle style icons, pastel colors with simple lines on white background. Simple vector graphics contain representative images of spring. Set of stickers with cute little faces and good composition --ar 1:1 --stylize 500

귀여운 낙서 스타일의 아이콘, 흰색 배경에 단순한 선이 있는 파스텔 색상. 간단한 벡터 그래픽에는 봄의 대표적인 이미지가 포함되어 있습니다. 귀여운 작은 얼굴과 좋은 구도의 스티커 세트 --AR 1:1 --스타일라이즈 500

여기서 중요한 부분은 봄의 대표적인 이미지, 귀여운 작은 얼굴, 좋은 구도의 스티커 그리고 간단한 벡터 그래픽이에요 다양하게 바꿔보세요.

TOTOJI240706PROMPT

Cute doodle style icons, pastel colors with simple lines on white background. Simple vector graphics contain representative images of spring. Set of stickers with cute little faces and good composition --ar 1:1 --stylize 1000

귀여운 낙서 스타일 아이콘, 흰색 배경에 간단한 선이 있는 파스텔 색상. 심플한 벡터 그래픽에는 봄을 대표하는 이미지가 담겨 있습니다. 귀여운 얼굴과 구성이 좋은 스티커 세트 --ar 1:1 --stylize 1000

500=>1000 으로 바꿔 보았음 간단해졌어요!

토토님도 간만에 귀여운거 만드셨네요~~ -돌뿌

DES.240707

이미지를 묘사해보세요

TOTOJI240707DES.

Stained Glass Mosaic of Animals: "An artistic stained glass mosaic featuring a cat and a bird. The cat is depicted with various bright and contrasting colors, creating a lively and intricate pattern. The bird adds a playful touch to the overall design."

동물의 스테인드 글라스 모자이크: "고양이와 새가 그려진 예술적인 스테인드글라스 모자이크입니다.

고양이는 밝고 대비되는 다양한 색상으로 묘사되어 생동감 있고 복잡한 패턴을 만들어냅니다. 새는 전체적인 디자인에 장난스러운 느낌을 더해줍니다."

PROMPT240707

Stained glass illustration on white background, 3D, happy cat with a bird on its head, minimalist painting style with a touch of spring, sleeping with crossed legs, very detailed, illustration made in colors representative of drawn spring

흰색 배경에 스테인드 글라스 일러스트, 3D, 머리에 새를 가진 행복한 고양이, 봄의 터치가 있는 미니멀 한 그림 스타일, 다리를 꼬고 자고, 매우 섬세한, 그려진 봄을 대표하는 색상으로 만든 일러스트

여기서 보실 부분은 그냥 미니멀한 그림이 아닌 봄의 느낌이 있는 미니멀한 그림이란 거에요.. 그래서 봄의 기분을 낼 수 있도록 작성해보았어요. 다양하게 바꿔서 작성해보세요.

TOTOJI240707PROMPT

Stained glass illustration on a PINK background, 3D, happy cat with a bird on its head, minimalist painting style with a spring feel, sleeping with legs crossed, highly detailed drawing, illustration made in colors representing spring, painted

PINK 배경의 스테인드 글라스 그림, 3D, 머리에 새가 있는 행복한 고양이, 봄의 느낌이 나는 미니멀한 그림 스타일, 다리를 꼬고 자고, 매우 상세한 그림, 그려진 봄을 대표하는 색상으로 만든 그림

DES.240708

이미지를 묘사해보세요.

TOTOJI240708DES.

The updated image with the entire atmosphere appearing red like a halo of sunlight. If you need any further adjustments

전체 분위기가 햇빛의 후광처럼 붉게 나타나는 업데이트된 이미지입니다.

PROMPT240708

Polaroid instax photograph of a gradient sunset, summer --ar 3:4 --style raw

그라데이션 일몰의 폴라로이드 인스탁스 사진, 여름

이번 이미지에서 중요한 부분은 폴라로이드 사진이라는 polaroid instax photograph of [풍경], [계절] 이었습니다.

다양하게 변형해서 만들어보세요!

TOTOJI240708PROMPT

Polaroid instagram photo of gradient sunset, summer, beach, relaxation, vacation, blue sky, beachfront, summer time, sunset, gradient sunset

해변의 그라데이션 일몰을 담은 폴라로이드 인스타그램 사진으로, 여름 휴식과 휴가의 정수를 포착합니다. 푸른 하늘은 고요한 해변가 위로 따뜻한 일몰 색상으로 아름답게 변합니다. 여름 풍경의 고요한 분위기

이미지를 묘사해보세요

DES240709

이미지를 묘사해보세요

TOTOJI240709DES.

A little girl in a pink dress is sitting by the beach window and happily eating watermelon. Outside the window, draw an image of beautiful roses and clouds floating over the blue sea, creating a calm and cheerful atmosphere.

"분홍색 원피스를 입은 어린 소녀가 해변 창가에 앉아 즐겁게 수박을 먹고 있습니다. 창밖에는 푸른 바다 위에 아름다운 장미꽃과 구름이 떠 있어 고요하고 경쾌한 분위기를 자아냅니다."

PROMPT240709

A five-month-old korea baby girl happily looks at the blue sky and white clouds outside the window, the sea and grassland, smiling face, big eyes, rich colors, the baby is wearing cute clothes, korea style, summer, watermelon cold drink, baby realistic wind,--ar 16:9,--q+,--s750

TOTOJI240709PROMPT

A 3 YEARS-old korea baby girl happily looks at the blue sky and white clouds outside the window, the sea and grassland, smiling face, big eyes, rich colors, the baby is wearing cute clothes, korea style, summer, watermelon cold drink, baby realistic wind,--ar 16:9,--q+,--s750

3 세 한국 여자 아기는 창 밖의 푸른 하늘과 흰 구름, 바다와 초원, 웃는 얼굴, 큰 눈, 풍부한 색상, 아기가 귀여운 옷을 입고, 한국 스타일, 여름, 수박 차가운 음료를 행복하게 바라보고 있습니다. , 아주 현실적인 바람,-ar 16:9,--q+,--s750

Des.240710

이미지를 묘사해보세요

TOTOJI240710DES.

On the veranda of a log cabin covered with wisteria vines, an 18-year-old female student sits seductively, crossing her legs and holding a whole watermelon cut into circles like a pallet. She′s putting on her slippers, and a few college notebooks and sketchbooks are on the floor. It looks messy overall, but the small forest atmosphere and bras, necklaces, bracelets, etc. are noticeable. She is sitting with another set of sketchbooks

등나무 덩굴로 뒤덮인 통나무집 베란다에 18 세 여학생이 다리를 꼬고 팔레트처럼 원으로 자른 수박을 통째로 들고 요염하게 앉아 있다. 그녀는 슬리퍼를 신고 있고 바닥에는 대학 노트와 스케치북 몇 권이 놓여 있습니다. 전체적으로 지저분해 보이지만 작은 숲속의 분위기와 브래지어, 목걸이, 팔찌 등이 눈에 띕니다. 그녀는 다른 스케치북 세트를 들고 앉아 있다.

PROMPT240710

girl, with watermelon, short hair, summer day, traditional house, old electric fan, contented smile, casual denim shorts, wooden floor, open doorway, green and white plants, relaxing, simple living, cozy atmosphere, leisure time, books beside, slice of life, refreshing moment --ar 3:4

수박을 든 소녀, 짧은 머리, 여름날, 전통 가옥, 오래된 선풍기, 만족스러운 미소, 캐주얼 데님 반바지, 나무 바닥, 열린 문, 녹색과 흰색 식물, 휴식, 소박한 생활, 아늑한 분위기, 여가 시간, 책 옆, 삶의 한 조각, 상쾌한 순간 --ar 3:4

변아롱 15 일 암것도 안했는데 왜 다리 꼬고 있나옄ㅋㅋ 신기방기한 AI 의세계

저는 집 안으로 넣기가 넘 어렵던데 ㅋ 암것도 안했는데 집 안으로 잘 들어 왔네여~ㅎㅎ -자등

TOTOJI240710PROMPT

The image of the girl enjoying her refreshing moment with a slice of watermelon. The scene captures the serene, cozy atmosphere perfectly.

수박 한 조각과 함께 상큼한 순간을 즐기고 있는 소녀의 모습이 담겨 있다. 이 장면은 고요하고 아늑한 분위기를 완벽하게 포착

DES.240711

이미지를 묘사해보세요

TOTOJI240711DES.

A young, beautiful woman who appears to be in her 20s is sitting at the edge of the white sand beach, facing the distant sea, in a shallow spot just before the sea waves rush in and destroy her. Her swimsuit has a bluish blue top and bottom, and the string that holds her knot appears in white. The sun appears around 11:30, so the length of the shadow is short. On her head, she wears a light orange straw hat with a wide brim to protect herself from the strong rays of the sun, and the center rim of the hat is wrapped with a red ribbon.

The overall atmosphere is that of a wide ocean, with moderate waves coming in and foaming and disappearing, and a red haze sparkling in the central part of the sea water. Green pine leaves can be seen in the background of Baeksajung, and it depicts a "woman on the beach" relaxing on the beach in midsummer.

20 대로 보이는 젊은 아리따운 여인이 해변가 모래 백사장 끝자락 바닷물의 파도가 밀려와 소멸되기 직전의 얕은 자리에 먼 바다를 향하여 앉아 있다. 수영복은 푸른청색의 상하를 입고 있으면 매듭을 잡는 끈은 흰색으로 나타난다. 태양은 11 시 반경을 나타나는 것으로 그림자의 길이가 짧다. 머리에는 태양의 강한 햇볕을 피하기 위해 챙이 넓은 옅은주황색 밀집모자를 쓰고 있으며, 모자의 중안 테에는 빨간 리본으로 한바퀴 감겨져 있다. 전체 분위기는 넓은 바다의 모습이 펼쳐지고 심하지 않은 파도가 밀려오고 흰 거품을 내며 사라지고, 바닷물에는 일렁이는 중앙 부분에는 햇빛 아지랑이가 반짝반짝거린다. 백사중

뒷편에는 푸른 소나무 잎이 보이며, 한여름의 해변가 모습에서 휴식을 취하는 "해변의 여인"

그림 그리기가 아니라 소설을 쓰고 있어요!

시고르자브종: 소설 잘 읽고 있습니다. 그림 역시도 잘 조고 있어요

PROMPT240711

Woman relaxing at the beach, kaoru umezu style, soft ray light, summer --ar 3:4

해변에서 휴식하는 여성, 카즈오 우메즈 스타일, 부드러운 광선 빛, 여름

여기서 우메즈 카오루 스타일이란카즈오 우메즈 또는 카즈오 우메즈 (楳図 かずお, Umezu Kazuo, 본명 楳図一雄; 1936 년 9 월 3 일 출생)는 일본의만화가,음악가,배우입니다. 1950 년대에 경력을 시작한 그는 공포만화 의 가장 유명한 작가 중 한 명이며 공포 만화의 발전에 중요한 역할을 했으며 "공포 만화의 신"으로 여겨집니다. 1960 년대에는 Reptilia 와 같은 쇼조만화 에서 상업 만화 산업의 미학과 일본민화 에서 영감을 받은 끔찍한 시각적 이미지를 결합하여 업계의 관례를 깨고 공포 만화 붐을 일으켰고 이후 세대의 만화가들에게 영향을 미쳤습니다. 그는 1990 년대 중반에 만화를 그리는 것을 은퇴할 때까지 The Drifting Classroom , Makoto-chan , My Name Is Shingo 와 같은 성공적인 만화 시리즈를 만들었습니다. 그는 일본에서도 유명한 인물 로, 빨간색과 흰색 줄무늬 셔츠를 입고 손짓으로 "과쉬"를 하는 것으로 유명합니다.

카즈오 우메즈 작가님 만화풍으로 이런 밝고 맑고 환상적인 그림이 나오는게 신기하고 궁금하네요~^^ 자등

TOTOJI240711PROMPT

The image of a bikini lady relaxing on the beach in the style of Kazuo Umezu. The scene captures the essence of summer with soft rays of light, clouds, and a peaceful atmosphere perfect for meditation.

우메즈 카즈오 스타일로 해변에서 휴식을 취하는 비키니 아가씨의 이미지. 이 장면은 부드러운 빛의 광선, 구름, 명상에 완벽한 평화로운 분위기로 여름의 본질을 포착합니다.

DES.240712

이미지를 묘사해보세요

TOTOJI240712DES.

A girl enjoying a swim at the beach, wearing a pink blouse and khaki shorts, getting soaked. The water is up to your thighs, and water droplets are splashing. The girl′s gaze is directed downward at 45 degrees forward, and she appears to be slowly walking out of the water, her matted hair soaking in the water

해변에서 수영을 즐기는 소녀, 흰색 블라우스와 카키색 반바지를 입고 있으며 흠뻑 젖어 있다. 깊이는 물이 허벅지까지 차 있고, 물방울도 튕겨지고 있다. 소녀의 시선은 전방 45 도 하향으로 향하고 있으면 물속을 천천히 걸어 나오는 모습,

PROMPT240712

a cute girl standing in the water on the beach in summer, in the style of nightcore, light navy and light gray, blink-and-you-miss-it detail, fragmented memories, water drops, ocean academia, heavy shading --ar 45:64

여름 해변에서 물속에 서 있는 귀여운 소녀, 나이트코어 스타일, 밝은 네이비와 밝은 회색, 깜박이면 놓치는 디테일, 파편화된 기억, 물방울, 해양 아카데미, 무거운 음영 --AR 45:64

여기서 알아 둘 표현은 나이트코어 스타일과 ocean academia 에요.

그리고 heavy shading 입니다.

나이트코어 스타일에서 코어란 관련 이미지와 영상들이 모여 만들어진 집합에 가깝습니다. 시각적 스타일로 나이트코어는 주로 밝고 화려한 색상, 생동감 넘치는 캐릭터, 애니메이션이나 판타지 테마를 포함합니다. 이 스타일의 이미지는 종종 활기차고 에너제틱한 분위기를 강조하며, 다양한 빛 효과와 움직임이 강조되는 경우가 많습니다. 나이트코어 스타일의 이미지는 음악의 빠르고 활기찬 특성과 잘 어울리는 시각적 요소들을 포함하고 있습니다.

ocean academia 이란 해양과 관련된 요소들을 학문적이고 우아한 분위기와 결합한 것이 특징입니다. 오션 아카데미는 다음과 같은 주요 요소들로 구성됩니다:

해양 테마: 바다, 해변, 물, 파도, 해양 생물(고래, 돌고래, 물고기 등) 등이 주된 테마로 사용됩니다.

학문적 요소: 고전 문학, 해양 생물학, 항해, 고대 해양 지도, 항해 장비 등이 포함되며, 학구적인 분위기를 강조합니다.

컬러 팔레트: 주로 블루, 터쿼이즈, 에메랄드 그린, 화이트 등 시원하고 차분한 색상들이 사용됩니다.

패션 스타일: 마린룩, 클래식한 옷차림, 교복 스타일, 항해사나 과학자와 같은 의상 등이 포함됩니다.

소품: 고전 책, 지도, 항해 장비, 해양 생물 관련 표본, 빈티지한 느낌의 장식품 등이 자주 등장합니다.

분위기: 차분하고 지적이며 동시에 신비로운 바다의 느낌을 전달합니다.

이 미학 스타일은 바다의 아름다움과 신비로움을 강조하면서도, 학문적이고 탐구적인 태도를 반영합니다. 오션 아카데미아는 해양 생물학, 항해, 고전 문학 등과 같은 주제에 대한 관심을 반영하며, 시각적으로도 매우 매력적입니다.

TOTOJI240712PROMPT

Create a romantic and intimate scene featuring a young couple kissing passionately in the water at sunset. The art style should be dreamy and detailed, with vibrant colors and dynamic lighting. The scene should include water drops and splashes to add realism and movement. The overall mood should be soft and emotional, capturing the deep bond between the couple.

일몰 때 물 속에서 열정적으로 키스하는 젊은 커플을 담은 로맨틱하고 친밀한 장면을 연출하세요. 아트 스타일은 생동감 넘치는 색상과 역동적인 조명으로 몽환적이고 디테일해야 합니다. 장면에는 현실감과 움직임을 추가하기 위해 물방울과 물보라가 포함되어야 합니다. 전체적인 분위기는 부드럽고 감성적이어야 하며, 커플 사이의 깊은 유대감을 포착해야 합니다.

DES.240713

이미지를 묘사해보세요.

시고르자브종: 스타일을 어떤 걸로 해야 가까울지 고민했는데 찾지 못하였어요. 내일 프롬프트 궁금합니다!!^^

넵~^^ 기대하셔요!

TOTOJI240713DES.

Create a vibrant and detailed scene of a tropical beach. The setting includes lush vegetation, palm trees, and a calm ocean. The beach features starfish and seashells scattered on the sand, with a flamingo standing near the water. The art style should be warm and inviting, capturing the peaceful and serene beauty of a tropical paradiseHere is the illustration of the confused male traveler in an old European city, humorously depicted as he tries to find the Korea AI Writers Association (KAAA) amidst multiple directional signs.

열대 해변의 생생하고 세밀한 장면을 만듭니다. 배경에는 무성한 초목, 야자수, 잔잔한 바다가 포함되어 있습니다. 해변에는 모래 위에 흩어져 있는 불가사리와 조개가 있고 물 근처에는 플라밍고가 서 있습니다. 아트 스타일은 다음과 같아야 합니다. 따뜻하고 매력적이며 열대 낙원의 평화롭고 고요한 아름다움을 포착

PROMPT240713

a summer beach border pattern, flat style vector illustrations, light colors --ar 44:61

여름 해변 테두리 패턴, 플랫 스타일 벡터 일러스트, 밝은 색상 --AR 44:61

여름 해변 테두리 패턴, 플랫 스타일 벡터 일러스트 이 부분만 이용하면 간단하게 표현이 가능해요.

이렇게 간단할수가 ㅜㅜ

TOTOJI240713PROMPT

Summer beach border pattern, flat style vector illustration, bright colors --AR 44:61

여름 해변 테두리 패턴, 플랫 스타일 벡터 그림, 밝은 색상 --AR 44:61

DES.240714

이미지를 묘사해보세요

TOTOJI240714DES.

There is a palm tree on the beach, underneath it is a blue and white parasol, in front of it is a wooden armchair made of blue and white fabric, and beyond the sandy beach, there is a shadow that looks like it is around 2 o′clock on a midsummer day with blue waves rolling over. is draped.

해변에 야자수 한 그루, 그 아래 청색과 하얀색이 교차된 파라솔, 그 앞에는 나무 암체어가 역시 청색과 흰색이 교차된 천으로 만든 의자가 있고, 모래 백사장 너머에는 푸른 파도가 넘실대는 한여름날 두 시경 모습으로 그림자가 드리워져 있다.

PROMPT240714

watercolor beach umbrella and chair with palm tree, white background, blue stripes, clipart style on the bottom of page --ar 23:35

야자수, 흰색 배경, 파란색 줄무늬, 페이지 하단의 클립아트 스타일이 있는 수채화 해변 우산과 의자 --AR 23:35

기서 중요한 것은 클립아트 스타일이 에요. 그리고 페이지 하단이라는 것으로 위치를 알려줄 수 있어요.

middle of page, left bottom of page 이런 식으로 사용하시면 됩니다. 다양하게 응용해보세요.

TOTOJI240714PROMPT

Location: Beach (in detail what type of beach it is, features, etc.)

Time: Daytime (exact time, e.g. 2 PM)

Weather: Clear (details of cloud cover, sunlight intensity, etc.)

Objects: Sand (details such as sand color, thickness, etc.), waves (details such as wave size, shape, etc.), palm trees (details such as shape, number, and location of palm trees)

Atmosphere:

Comfort (expressing comfort through the woman′s posture, facial expressions, etc.)

Rest (expressing a woman′s relaxed appearance)

Relaxation (a woman′s happy and worry-free facial expression)

Happiness (female expression of smile, laughter)

Ninth:

Place the woman in the center and balance the background on the left and right.

Or, place the women diagonally to create a dynamic feel.

Etc:

The overall tone of the image (bright and warm tones, cold and cool tones, etc.)

Image quality (high resolution, low resolution, etc.)

Image style (photorealistic, artistic, etc.)

장소: 해변 (어떤 종류의 해변인지, 특징 등 자세히)

시간: 낮 (정확한 시간, 예: 오후 2 시)

날씨: 맑음 (구름 정도, 햇빛 강도 등 자세히)

사물: 모래 (모래 색깔, 굵기 등 자세히), 파도 (파도 크기, 형태 등 자세히), 야자수 (야자수의 모양, 숫자, 위치 등 자세히)

분위기:

편안함 (여성의 자세, 표정 등을 통해 편안함을 표현)

휴식 (여성의 여유로운 모습 표현)

여유 (여성의 행복하고 걱정 없는 표정 표현)

행복 (여성의 미소, 웃음 표현)

구도:

여성을 중앙에 배치하고, 배경을 왼쪽과 오른쪽으로 균형 있게 배치

혹은 여성을 대각선 방향으로 배치하여 역동적인 느낌 연출

기타:

이미지의 전체적인 톤 (밝고 따뜻한 톤, 차갑고 시원한 톤 등)

이미지의 화질 (고해상도, 저해상도 등)

이미지 스타일 (사실적인 스타일, 예술적인 스타일 등)

DES.240715

이미지를 묘사해보세요

TOTOJI240715DES.

Picture warm light sparkling in a forest of beautiful fall foliage. Colorful maple leaves are naturally scattered, expressing the harmonious landscape they create. NIGHTCAFE

아름다운 가을 단풍 숲 속에서 따뜻한 빛이 반짝이는 모습을 그려보세요. 화려한 단풍잎들이 자연스럽게 흩어져 있고, 이들이 만들어내는 조화로운 풍경을 표현해 보세요

PROMPT240715

Very bright vegetable autumn watercolor background, pastel colors, low contrast, autumn --ar 9:16

매우 밝은 식물성 가을 수채화 배경, 파스텔 색상, 낮은 대비, 가을 --ar 9:16

이번에도 프롬프트가 단순하죠?

다양하게 응용해보세요 ^^

식물을 통틀어서 vegetable 이라고도 표현할 수 있어요. 그럼 예시 이미지처럼 다양하게 표현됩니다 ^^

TOTOJI240715PROMPT

Very bright vegetable autumn watercolor background, pastel colors, low contrast, autumn --ar 9:16

매우 밝은 야채 가을 수채화 배경, 파스텔 색상, 낮은 대비, 가을 --ar 9:16

DES.240716

이미지를 묘사해 보세요!

TOTOJI240716DES.

A person wearing a straw hat and blue overalls is smiling brightly in a field of yellow sunflowers in full bloom under a blue sky. The warm light of the sun illuminates the person′s face, giving a feeling of joy.

푸른 하늘 아래 활짝 핀 노란 해바라기 꽃밭에 밀집모자를 쓰고 청색 멜빵 옷을 입은 인물이 환하게 웃고 있습니다. 태양의 따뜻한 빛이 인물의 얼굴을 비추고 있어 기쁨이 느껴지는 모습

PROMPT240716

Flat minimalist illustration,A Chinese boy wearing overalls and a hat stands in a sunflower field, smiling at the camera on a sunny day. It is a full body photo with soft light and a long distance view, in the style of natural scenery photography. The wide-angle perspective shows warm colors and a joyful atmosphere. --ar 3:4

플랫 미니멀리스트 일러스트, 작업복과 모자를 쓴 중국 소년이 해바라기 밭에 서서 화창한 날 카메라를 향해 미소 짓고 있습니다. 자연 풍경 사진 스타일로 부드러운 빛과 먼 거리에서 바라본 전신 사진입니다. 광각 원근감으로 따뜻한 색감과 즐거운 분위기를 보여줍니다. --AR 3:4

저는 중국소년이라고 했지만 한국소년이라고 하면 또 느낌이 다를거에요.

여기서 주요한 표현은 Flat minimalist illustration 그리고 smiling at the camera on a sunny day 입니다.

그리고 전신을 표현할 때 full body photo 라고 적으시면 좋아요.

TOTOJI240716PROMPT

Flat minimalist illustration,A KOREAN GIRL wearing overalls and a hat stands in a RED ROSE field, smiling at the camera on a sunny day. It is a full body photo with soft light and a long distance view, in the style of natural scenery photography. The wide-angle perspective shows warm colors and a joyful atmosphere. --ar 3:4

평면 미니멀한 일러스트레이션, 바지와 모자를 쓴 한국 소녀가 화창한 날 카메라를 향해 미소를 짓고 레드 로즈 필드에 서 있습니다. 자연 풍경 사진 스타일로 은은한 빛과 원거리 풍경을 담은 전신 사진입니다. 넓은 각도의 원근법은 따뜻한 색상과 즐거운 분위기를 보여줍니다. --아르 3:4

DES.240717

이미지를 묘사해보세요

TOTOJI240717DES.

We created a feature that can be felt in the fall. Biology must include the phrase "Happy Autumn", it captures the autumn mood well. Place it in the center of the three-dimensional screen, and place elements that give off an autumn feel around it.

가을에 느낄 수 있는 기능을 생성했습니다. 생물학에는 "Happy Autumn"이라는 문구가 포함되어 있어야 합니다, 가을 분위기를 잘 표현합니다. 입체적인 화면 중앙에 배치하고, 주변에는 가을 느낌이 나는 요소들을 배치합니다.

Happy
Autumn

PROMPT240717

많이 어려우셨죠? ^^

A charming autumn card design in beautiful autumn pastel colors. On the front, the phrase "Happy Autumn" is written with a soft yarn thread in delicate pastel shades such as brown, light red, mint yellow, and lavender. The lettering looks as if it has just been crocheted. Next to the lettering, there is a crochet hook holding the yarn, seemingly just finishing the last letter. The background of the card is in a soft, solid pastel color to highlight the lettering and the crochet hook --ar 2:3

아름다운 가을 파스텔 색상의 매력적인 가을 카드 디자인입니다. 앞면에는 브라운, 라이트 레드, 민트 옐로우, 라벤더 등 섬세한 파스텔 톤의 부드러운 실로 "행복한 가을"이라는 문구가 적혀 있습니다. 글자는 마치 방금 뜨개질을 한 것처럼 보입니다. 글자 옆에는 마지막 글자를 막 완성한 것처럼 보이는 뜨개질 고리가 실을 고정하고 있습니다. 카드의 배경은 부드럽고 단색의 파스텔 색상으로 글자와 크로셰 후크를 강조합니다(2:3 비율)

여기서 주목해야할 부분은

The lettering looks as if it has just been crocheted 그리고 Next to the lettering, there is a crochet hook holding the yarn 이에요. 원래 바느질하시면 매듭이 보이잖아요. 다양하게 응용해보세요 ^^

TOTOJI240717PROMPT

We created a feature that can be felt in the fall. Biology must include the phrase "Happy Autumn", it captures the autumn mood well. Place it in the center of the three-dimensional screen, and place elements that give off an autumn feel around it.

가을에 느낄 수 있는 기능을 생성했습니다. 생물학에는 "Happy Autumn"이라는 문구가 포함되어 있어야 합니다, 가을 분위기를 잘 표현합니다. 입체적인 화면 중앙에 배치하고, 주변에는 가을 느낌이 나는 요소들을 배치합니다.

DES.240718

가을엔 편지죠? ^^ 수작업으로 만든 편지지에요.

TOTOJI240718DES.

Create fall stationery. Include a variety of fall-inspired elements, such as lace curtains, maple leaves, pink dividers, pumpkin decorations, and ribbon decorations, on a beige background. Create an overall warm and beautiful atmosphere.

가을 편지지를 생성하세요. 베이지색 바탕에 레이스 커튼, 단풍잎, 분홍색 구분선, 호박 모양 장식, 리본 장식 등 가을 느낌의 다양한 요소를 포함하세요. 전체적으로 따뜻하고 아름다운 분위기를 연출하세요.

PROMPT240718

A handmade, flat, printable, lined notebook page for writing, neat lines for writing, fabric shabby chic pumpkins, bows, lace pattern border, pink and ivory, children's book illustration --ar 5:7

수제, 평면, 인쇄 가능한, 필기 용 줄이 그어진 노트북 페이지, 필기 용 깔끔한 선, 패브릭 초라한 세련된 호박, 리본, 레이스 패턴 테두리, 분홍색과 아이보리, 어린이 책 삽화 --ar 5:7

보시면 레이스가 보이시죠? 그래서 레이스 패턴 테두리라고 적으시고 인쇄 가능한, 수제, 필기 용 줄이 그어진 노트북 페이지, 필기 용 깔끔한 선이라고 적으시면 돼요.

응용하셔서 다양한 편지지를 만들어보세요

TOTOJI240718PROMPT

Handmade, flat, printable, lined notebook page for writing, clean lines for writing, fabric shabby chic sweet pumpkin, ribbon, lace, star pattern border in pink and pale ivory, children′s book illustration --ar 5:7

수제, 평면, 인쇄 가능한, 필기 용 줄이 그어진 노트북 페이지, 필기 용 깔끔한 선, 패브릭 초라한 세련된 단 호박, 리본, 레이스, 별모양 패턴 테두리, 핑크색과 연한 아이보리, 어린이 책 삽화 --ar 5:7

DES.240719

이미지를 묘사해보세요

이건 또 다른 느낌이죠?

TOTOJI240719DES.

The background color is blue drawing paper like sky blue or sea blue, red maple leaves at the corners of the square, a male crab at the bottom center, and the overall image of autumn leaves fluttering.

바탕색이 하늘색 또는 바다 물색 같은 청색 도화지, 사각 모퉁이에는 붉게 물든 단풍잎, 중앙 맨 아래 부분에 숫 꽃게 한 마리, 가을 단 풍이 나부끼는 전체 모습

PROMPT240719

Autumn poster background template with sea crab and, text space, blue sky watercolor background vector illustration in autumn style. --ar 65:93

가을 스타일의 꽃게와, 텍스트 공간, 푸른 하늘 수채화 배경 벡터 일러스트가 있는 가을 포스터 배경 템플릿입니다. --ar 65:93

원래 꽃게와 문어 이런 거 만들려고 하다가 꽃게만 만들었어요 그래서, 가 있는거에요.

글을 쓸 공간이 필요할 때 text space 라고 적으시면 도움이 됩니다. 이런 스타일의 이미지가 의외로 많이 필요해서 알려드렸어요. 그런데 이미지 묘사를 보니 다들 잘하셔서... 다양하게 더 응용해보세요!

TOTOJI240719PROMPT

Autumn poster background template with crab and octopus in autumn style, wide text space and blue sky watercolor background vector illustration. --ar 65:93

가을 스타일의 꽃게와 문어, 넓은 텍스트 공간, 푸른 하늘 수채화 배경 벡터 일러스트가 있는 가을 포스터 배경 템플릿입니다. --ar 65:93

Lovely mother son

DES.240720

Two hedgehogs, a mother hedgehog handing a red apple to her son hedgehog, the underside of the hedgehog is white and gray, the back is dark gray and has thorns, maple leaves are fluttering around, and at the bottom of the picture is "A lovely mother and son." "The writing is engraved. image

고슴도치 두 마리, 엄마 고슴도치가 아들 고슴도치에게 빨간 사과 하나를 건네지는 모습, 고슴도치의 배부분은 하얗고 회색, 등부분은 짙은 회색과 가시모양 표현, 주변에 단풍잎이 휘날림, 그림 아래에는 "사랑스러운 엄마와 아들" 글씨가 새겨 짐.

TOTOJI240720DES.

Two hedgehogs, a mother hedgehog handing a red apple to her son hedgehog, the underside of the hedgehog is white and gray, the back is dark gray and has thorns, maple leaves are fluttering around, and at the bottom of the picture is "A lovely mother and son." "The writing is engraved. Image.

고슴도치 두 마리, 엄마 고슴도치가 아들 고슴도치에게 빨간 사과 하나를 건네주는 모습, 고슴도치의 배부분은 하얗고 회색, 등부분은 짙은 회색과 가시모양 표현, 주변에 단풍잎이 휘날림, 그림 아래에는 "사랑스러운 엄마와 아들" 글씨가 새겨 짐.

Lovely mother son

PROMPT240720

A mother hedgehog feeding her baby hedgehog a fall apple, a simple and colorful art print with the text "Lovely mother and son" inspired by the unique style of John Klaassen. It uses desaturated, light and airy pastel colors that are perfect for nursery art. The artwork should be placed on a clean white background to capture the essence of a whimsical, calming children's book illustration. Emphasize the soft, calming tones of the image, making it ideal for a peaceful nursery environment. --ar 2:3

엄마 고슴도치가 아기 고슴도치에게 가을 사과를 먹이는 모습과 존 클라센의 독특한 스타일에서 영감을 받은 "사랑스러운 엄마와 아들"이라는 텍스트가 심플하고 컬러풀하게 프린트된 아트 프린트입니다. 유아용 아트에 적합한 채도가 낮고 가볍고 경쾌한 파스텔 색상을 사용했습니다. 기발하고 차분한 동화책 일러스트레이션의 본질을 포착하려면 깨끗한 흰색 배경에 아트워크를 배치해야 합니다. 이미지의 부드럽고 차분한 톤을 강조하여 평화로운 보육원 환경에 이상적입니다. --AR 2:3

여기서 중요한 표현은 존 클라센의 독특한 스타일이에요. (inspired by the unique style of John Klaassen) 그리고 유아용 아트(nursery art), 기발하고 차분한 동화책 일러스트(calming children′s book illustration), 이미지의 부드럽고 차분한 톤 강조(Emphasize the soft) 입니다.

참고로 Nursery Art 란 유아방 또는 아기방의 장식용 예술 작품을 의미합니다. 특징으로는 다음과 같습니다.

1. **밝고 생동감 있는 색상**: 아이들의 흥미를 끌고 시각적 자극을 제공하기 위해 주로 밝고 생동감 있는 색상을 사용합니다.
2. **친근한 주제**: 동물, 자연, 알파벳, 숫자, 만화 캐릭터 등 아이들에게 친숙하고 친근한 주제를 다룹니다.
3. **교육적 요소**: 알파벳, 숫자, 모양, 색깔 등을 포함하여 아이들이 놀이를 통해 자연스럽게 학습할 수 있도록 돕습니다.
4. **안전성**: 아이들이 접근하기 쉽고, 안전한 소재로 만들어진 작품을 사용합니다.
5. **감성적 안정**: 아이들에게 안정감과 편안함을 줄 수 있는 디자인과 주제를 선택하여 아이들의 감정과 정서를 긍정적으로 영향을 미치도록 합니다.

Nursery art 는 단순히 방을 꾸미는 역할을 넘어 아이들의 발달과 학습, 감정적 안정을 돕는 중요한 요소로 여겨집니다.

Lovely Dad and Daughter,

TOTOJI240720PROMPT

This is a simple and colorful art print that depicts a father hedgehog feeding fall persimmons to his son's hedgehog and the text "Lovely Dad and Daughter," inspired by John Classen's unique style. We used light, cheerful pastel colors with low saturation that are suitable for children's art. To capture the whimsical and calming essence of children's book illustrations, place your artwork on a clean white background. It emphasizes the soft, soothing tones of the image, making it ideal for a peaceful nursery environment. --AR 2:3

존 클라센(John Classen)의 독특한 스타일에서 영감을 받아 아들의 고슴도치에게 가을 감을 먹이는 아버지 고슴도치의 모습과 '사랑스러운 아빠와 딸'이라는 문구를 심플하고 컬러풀하게 표현한 아트 프린트입니다. 어린이 미술에 적합한 채도가 낮은 밝고 경쾌한 파스텔 색상을 사용하였습니다. 동화책 일러스트레이션의 기발하고 차분한 본질을 포착하려면 깨끗한 흰색 배경에 작품을 배치하세요. 이미지의 부드럽고 차분한 톤을 강조하여 평화로운 보육 환경에 이상적입니다. --AR 2:3

DES.240721

Describe the image.

이미지를 묘사해보세요

TOTOJI240721DES.

There are old maps, pillows in the river, trees in the mountains, roads that connect the tile-roofed houses in the village, and the surrounding area is full of single trees that signify fall. A flock of geese are flying in the sky.

옛날지도, 강에는 배가 다니고, 산에는 나무가, 도로가 마을의 기와집 사이를 연결하는 역할, 기타 주변은 가을을 의미하는 단풍나무로 가득하다. 하늘에 기러기 떼지어 날아온다.

PROMPT240721

Hand-drawn style map, autumn background, children's illustration, flat illustration with humanities and history along National Route 7 from Seoul to Busan.--ar 16:9

손그림 스타일의 지도, 가을 배경, 어린이 일러스트, 서울에서 부산까지 7 번 국도를 따라 인문학과 역사가 담긴 평면 일러스트 --ar 16:9

7 번 국도가 우리나라에서 제일 예쁘다고 하더라고요. 가을 배경이라서 가을가을하죠 ^^

TOTOJI240721PROMPT

Hand-drawn style map, autumn background, children′s illustration, flat illustration containing the history of Samcheon-ri according to legend along National Highway 3 from Seoul to Busan --ar 16:9

손그림 스타일의 지도, 가을 배경, 어린이 일러스트, 서울에서 부산까지 3 번 국도를 따라서 전설따라 삼천리 역사가 담긴 평면 일러스트 --ar 16:9

DES.240722

Describe the image

이미지를 묘사해보세요

TOTOJI240722DES.

A 22-year-old woman staring with a meaningful smile, only the upper part of her chest visible, wearing a turquoise brown overcoat, a black neck-tie, a black hat with a flat brim, her mouth slightly open and her attractive hair slightly tousled on her face. snow falling. Image.

22 세 여인의 의미심장한 미소로 응시하는 모습, 가슴 위 부분만 보이고, 쑥 갈색 외투와 검정 목 티를 착용하고, 챙이 넓은 검정 모자를 쓰고, 입은 약간 벌리고 얼굴에 매력적인 머리카락이 약간 헝클어진 듯하게, 눈발이 내리는 모습.

PROMPT240722

A korean woman walks on a beach with snow on her face, in the style of dark romantic, gongbi, ocean academia --ar 71:128 --style raw --stylize 1000

어두운 로맨틱, 공비, 해양 학계 스타일로 얼굴에 눈이 내리는 해변을 걷는 여자 --AR 71:128 -스타일 원시 -스타일라이즈 1000

여기서 공비란 공비 (간체중국어:工笔;정체중국어 :工筆; 병음 : gōng bǐ ; 웨이드-자일스 : kung-pi)는 중국 회화 에서 쓰이는 신중한 사실주의 기법으로 , 해석적이고 자유롭게 표현하는 시에이(寫意'생각을 스케치하는 것') 스타일과 정반대입니다.

이름은 '정리하다'는 뜻의 중국어 공진 (孔進)에서 유래했습니다 (꼼꼼한 붓 기술). 공비(孔備) 기법은 매우 세밀한 붓놀림을 사용하여 세부 사항을 매우 정밀하게 그리고 독립적이거나 표현적인 변화 없이 한정합니다. 종종 채색이 강하고 일반적으로 형상적이거나 서사적인 주제를 묘사합니다.

여기서 j ocean academia 는 어떤 작용을 하는지 잘 모르겠어요.

마이크로소프트 디자이너로 뽑아보니 바닷가 배경으로 해양생물 조개, 산호 등이 예쁘게 나오네요 -자등

자등님 알려주셔서 감사합니다. 제가 또 궁금한 건 오늘은 조개나 산호가 안 나오는데요. 어떤 효과를 주는 걸까요 하는 점이에요^^

TOTOJI240722PROMPT

Woman walking on the beach with snow on her face in dark romantic, cosmopolitan, oceanographic style --AR 71:128 -Style Primitive -Stylize 1000

어두운 로맨틱, 공비, 해양 학계 스타일로 얼굴에 눈이 내리는 해변을 걷는 여자 --AR 71:128 -스타일 원시 -스타일라이즈 1000

DES.240723

이미지를 묘사해보세요

TOTOJI240723DES.

A 5-year-old girl wearing a dark pink coat is holding a snowman wearing a scarf and no gloves. Her snowman has horns on her head made from her branch branches, her long hair neatly tied up, bright eyes, and a dark maroon fur hat. I worked on images because it was cold winter weather.

짙은 분홍색 외투를 입은 5 세 여자아이가 장갑도 안끼고 목도리를 한 눈사람을 안고 있고. 눈사람 머리에는 나뭇가지로 뿔을 만듬, 긴머리를 단정하게 따 묶고 맑은 눈동자 짙은 고동색의 털모자를 쓰고 있다. 차가운 겨울 날씨라서

PROMPT240723

A cute little girl holding a snowman with ice, in the style of realist: lifelike accuracy, 8k, oshare kei, soft and dreamy depictions, delicate portraits, distinctive noses, ming dynasty --ar 3:4

얼음으로 눈사람을 들고 있는 귀여운 소녀, 리얼리스트 스타일: 실사와 같은 정확성, 8K, 오쉐어 케이, 부드럽고 몽환적인 묘사, 섬세한 초상화, 독특한 코, 명나라 --AR 3:4

이번 이미지에서 중요한 표현은 in the style of realist: lifelike accuracy 입니다.

oshare kei 스타일은 oshare kei 스타일은 정밀 테네브리즘 효과를 정확하게 표현하고 매끄러운 선과 흉터 domnguez ai 가 생성한 예술적인 터치를 제공합니다.

마지막으로 ming dynasty 는 중국 명나라 시대라는 뜻이에요. 우린 한국이니 조선시대를 하면 좋겠죠? The Joseon Dynasty

TOTOJI240723PROMPT

Cute girl holding a snowman out of ice, realist style: photo-realistic accuracy, 8K, O'Shea K, soft and dreamy descriptions, delicate portraits, unique nose, Ming Dynasty --AR 3:4

얼음으로 눈사람을 들고 있는 귀여운 소녀, 리얼리스트 스타일: 실사와 같은 정확성, 8K, 오쉐어 케이, 부드럽고 몽환적인 묘사, 섬세한 초상화, 독특한 코, 명나라 --AR 3:4

DES.240724

Describe the image 이미지를 묘사해보세요

첫번째와 비슷하지만 조금 달라요 ^^

배운 것을 응용해보시면 좋습니다.

TOTOJI240724DES.

Image of an 18-year-old girl wearing a white winter coat with sleeves that barely cover her hands, with bright eyes and a slight smile, a little pink makeup on her cheeks and around her eyes, outdoors with blowing snow

하얀 겨울 외투 옷과 손을 가릴 정도의 소매를 가진 옷을 입고 있는 18 세 여자 아이, 맑은 눈동자와 엷은 미소를 띄고, 양 볼과 눈 주변은 약간 분홍빛 화장을 하였고, 눈이 날리는 야외에서 이미지

PROMPT240724

A beautiful Korean girl wearing white sweater and mittens, in the style of detailed facial features, soft, romantic scenes, snow scenes, 32k uhd, oshare kei, light red and light amber, gongbi --ar 3:4

흰색 스웨터와 장갑을 착용한 아름다운 한국 소녀, 세부적인 얼굴 특징, 부드럽고 낭만적인 장면, 설경, 32K UHD, 오쉐어 케이, 밝은 빨간색과 밝은 호박색, 공비 --ar 3:4 스타일

저번에 배운 gongbi 와 oshare kei 가 조합된 이미지였어요. 예시만 보고도 너무 예쁘게 잘 만드셨어요. 분위기는 romantic scenes 라고 적으시면 낭만적인 느낌이 더 강해요 ^^ 거기에 부드럽다고 soft 를 넣으면 더 분위기가 살아나는 거죠. 다양하게 응용해서 만들어보세요

TOTOJI240724PROMPT

A beautiful Korean girl wearing white sweater and mittens, in the style of detailed facial features, soft, romantic scenes, snow scenes, 32k uhd, oshare kei, light red and light amber, gongbi --ar 3:4

흰색 스웨터와 장갑을 착용한 아름다운 한국 소녀, 세부적인 얼굴 특징, 부드럽고 낭만적인 장면, 설경, 32K UHD, 오쉐어 케이, 밝은 빨간색과 밝은 호박색, 공비 --ar 3:4 스타일

DES.240725

이미지를 묘사해보세요

TOTOJI240725DES.

A mother and baby holding a child dressed as a bear in her left hand and a teddy bear in her right hand are walking along a snowy road in the mountains. Snow piles up on the road, the mother is wearing a pink fur hat and a fur scarf, and the child is wearing a bear costume and fur. He wore a scarf. The road looks slippery and there is a long way to go, but the steps seem to be hard to follow. Judging from the shadow, the formation of a shadow is estimated to be around 12 o′clock.

엄마와 아기 곰 복장을 한 아이를 왼손에 잡고 오른손은 곰 인형을 안고 산속의 눈길을 걸어가고 있는 모습, 길에는 눈이 쌓이고 엄마는 분홍빛깔의 털모자와 털 목도리를 하고 아이는 곰 복장에 털 목도리를 하였다. 길은 미끄러워 보이고 갈 길은 먼 데 발걸음이 잘 떨어지지 않는 모습. 그림자로 보아 낙 12 시경으로 추정되는 그림자 형성

PROMPT240725

A painting of a child and teddy bear in winter, in the style of charming character illustrations, soft color palette, booru, light teal and dark pink, colorful costumes, aquarellist, charming characters --ar 92:125 --stylize 50

매력적인 캐릭터 일러스트, 부드러운 색상 팔레트, 부루, 밝은 청록색과 진한 분홍색, 화려한 의상, 아퀼리스트, 매력적인 캐릭터 스타일의 겨울철 아이와 곰 인형 그림 --AR 92:125 --스타일라이즈 50

여기서 booru 는 GPT 에게 물어봤어요

Midjourney 와 같은 AI 이미지 생성 모델에서는 "booru" 스타일이나 데이터셋을 참고할 때 다음과 같은 이유로 사용할 수 있습니다:

1. **풍부한 태그 시스템**: Booru 사이트들은 태그 기반 시스템으로 이미지를 체계적으로 분류합니다. 이는 AI 모델이 다양한 주제와 스타일을 학습하는 데 유용합니다. 예를 들어,

특정 캐릭터, 배경, 색상, 포즈 등 다양한 요소를 쉽게 분리하여 학습할 수 있습니다.

2. **다양한 이미지 소스**: Booru 사이트는 팬아트, 일러스트, 애니메이션 스크린샷, 만화 등 다양한 스타일의 이미지를 포함하고 있습니다. 이 다양한 데이터는 AI 모델이 여러 스타일을 학습하고 생성하는 데 도움이 됩니다.

3. **커뮤니티 주도 콘텐츠**: Booru 사이트의 콘텐츠는 주로 팬 커뮤니티에서 생성된 것으로, 최신 트렌드와 인기 있는 주제를 반영합니다. 이는 AI 모델이 현대적인 스타일과 인기 있는 테마를 학습하는 데 유리합니다.

4. **고품질 데이터**: 많은 Booru 사이트는 고화질 이미지와 정교한 작품을 포함하고 있어 AI 모델이 정밀하고 고품질의 출력을 생성할 수 있게 도와줍니다.

따라서 Midjourney 와 같은 AI 모델이 Booru 데이터를 사용하는 이유는 다양한 스타일과 주제를 효율적으로 학습하고, 사용자가 원하는 복잡하고 정교한 이미지를 생성하기 위해서 입니다.

Aquarellist 는 수채화 스타일의 예술을 창작하는 아티스트를 말합니다. 수채화는 물과 함께 사용하는 물감으로 만든 그림 스타일로, 투명하고 부드러운 색감이 특징입니다. 수채화는 일반적으로 물의 양을 조절하여 색상의 투명도와 농도를 조절하는 방식으로 그려집니다. 다음은 수채화 스타일의 주요 특징입니다:

1. **투명도**: 수채화 물감은 투명하게 발색되며, 여러 겹 을 겹쳐서 사용하여 깊이와 복잡한 색상을 표현합니다.

2. **부드러운 색감**: 물의 사용으로 인해 색상이 부드럽고 흐릿하게 표현됩니다. 이는 부드럽고 자연스러운 분위기를 연출합니다.

3. **그라데이션**: 수채화는 색상의 점진적인 변화를 쉽게 표현할 수 있어, 자연스러운 그라데이션을 만드는 데 적합합니다.

4. **빠른 건조 시간**: 수채화 물감은 빠르게 마르기 때문에, 신속한 작업이 가능하지만 수정이 어려울 수 있습니다.

5. **종이 질감**: 수채화는 일반적으로 두껍고 질감이 있는 종이에 그려집니다. 종이의 질감은 최종 작품에 중요한 요소로 작용합니다.

6. **자연스러운 흐름**: 물과 함께 사용되기 때문에 색상이 자연스럽게 번지고 섞이는 효과를 볼 수 있습니다.

대표적인 수채화 작품은 자연 경관, 꽃, 인물화 등이 있으며, 그 특유의 투명하고 상쾌한 느낌 덕분에 많은 사랑을 받고 있습니다.

참고해서 다양하게 응용해보세요 ^^

TOTOJI240725PROMPT

Attractive character illustration, soft color palette, pink, light turquoise and dark pink, colorful costumes, aquilist, illustration of winter kid and teddy bear in charming character style --ar 92:125 --s 50

매력적인 캐릭터 일러스트, 부드러운 색상 팔레트, 핑크, 밝은 청록색과 진한 분홍색, 화려한 의상, 아퀼리스트, 매력적인 캐릭터 스타일의 겨울철 아이와 곰 인형 그림 --ar 92:125 --s 50

DES.240726

이미지를 묘사해보세요

겨울 하면 눈밭에 눕는 것이 로망이죠?

다양하게 만들어보세요 ^^

TOTOJI240726DES.

She is lying down on a snowy field covered with snow, looking up at the sky, and spreading his arms out in the form of a manse. I wore a very dark pink jumper, sandals, and dark blue stockings. A look of rest with long hair tangled. The gloves are navy blue mittens. The time is around 2 PM. A 13-year-old girl.

온 천지가 흰눈으로 덮힌 눈밭 위에 하늘을 쳐다보며 누워 있고 양팔을 벌려 만세 형태. 아주 짙은 핑크색 잠바를 입고, 털신발과 남색 스타킹을 신었다. 긴 머리가 헝클어져 휴식을 취하는 모습. 장갑은 남색 벙어리 장갑. 시각은 오후 2 시경.13 세 여자아이.

PROMPT240726

The comic version of the girl with shoulder-length hair has already made a snow angel on the ground. --ar 9:16

어깨 길이의 머리카락을 가진 소녀의 만화 버전은 이미 땅에 눈 천사를 만들었습니다. --AR 9:16

어깨 길이 머리카락은 로망이죠!

2013

TOTOJI240726PROMPT

A cartoon version of the 18-year-old girl with shoulder-length brown hair has already created an angel lying on the ground. --AR 9:16

어깨 길이의 갈색 머리카락을 가진 18 세 소녀의 만화 버전은 이미 땅에 누운 천사를 만들었습니다. --AR 9:16

DES.240727

Describe the image

이미지를 묘사해보세요

귀여운 눈사람이에요

겨울엔 눈사람을 빼놀 순 없죠?

TOTOJI240727DES

Four snowman dolls made of ceramics are placed side by side on a table. The snowman doll on the left has horns on its head like deer antlers, and the two dolls in the middle are wearing hats made of bells. The snowman on the far right has only one red bauble on his head. The background behind has blurred transparency.

눈사람 인형을 도자기로 만든 것, 4 개가 나란히 테이블 위에 있고, 왼쪽 눈사람인형은 사슴 뿔처럼 머리에 뿔이 있고, 가운데 두 인형은 방울 달인 모자를 쓰고 있으며. 맨 오른쪽 눈사람인형은 머리에 빨간 방울 하나만 있다. 뒤 배경은 투명도를 흐리게 주었다.

PROMPT240727

christmas ceramic decoration. the collection has angel, reindeer, snowman and santa. they all have chubby round body. the color tone will be modern and subtle and pinkish and gold finish

크리스마스 세라믹 장식. 컬렉션에는 천사, 순록, 눈사람 및 산타가 있습니다. 그들은 모두 통통한 둥근 몸체를 가지고 있습니다. 색상 톤은 현대적이고 미묘하며 분홍빛과 금색 마감 처리됩니다.

여기서 중요한 표현은 크리스마스 세라믹 장식 christmas ceramic decoration 이에요.

이 표현으로 다양하게 만들어보세요.

TOTOJI240727PROMPT

Introducing the Totoji Christmas Ceramic Decoration Collection! This charming series features delightful angels, reindeer, snowmen, and Santa Claus, each designed with adorable plump, round bodies. The color palette is modern and subtle, adorned with elegant pink and gold finishes. These beautifully crafted decorations are perfect for adding a touch of festive cheer to your home. Whether displayed on your mantel, as a centerpiece, or nestled within your holiday décor, the Totoji collection brings a sophisticated yet whimsical charm to your Christmas celebrations.

토토지 크리스마스 세라믹 데코레이션 컬렉션을 소개합니다! 이 매력적인 시리즈에는 유쾌한 천사, 순록, 눈사람, 산타클로스가 등장하며, 각 캐릭터는 사랑스럽고 통통하고 둥근 몸체로 디자인되어 있습니다. 색상 팔레트는 현대적이고 은은하며, 우아한 핑크와 골드 마감으로 장식되어 있습니다. 아름답게 제작된 이 장식은 집에 축제 분위기를 더하기에 완벽합니다. 벽난로에 장식하거나 중앙 장식품으로 장식하거나 휴일 장식에 얹어 놓을 때 TOTOJI 컬렉션은 크리스마스 축하 행사에 정교하면서도 기발한 매력을 선사합니다.

DES.240728

이미지를 묘사해보세요

겨울의 낭만은 스노우볼이죠...

매력적인 스노우볼을 만들어보세요

TOTOJI240728DES.

Here is the updated image with the added snow-covered environment surrounding the snow globe. It now features a cohesive and immersive winter scene, enhancing the festive and serene atmosphere. Enjoy the added charm!

다음은 스노우 글로브 주변에 눈 덮인 환경이 추가된 업데이트된 이미지입니다. 이제 응집력 있고 몰입도 높은 겨울 장면이 특징이며, 축제적이고 고요한 분위기를 향상시킵니다. 더해진 매력을 즐겨보세요!

PROMPT240728

Crystal ball music box, glass ball with ice and snow world inside, pure white color tone, dreamy and beautiful, white base, close-up shot, white snow background, hazy snow mist --ar 3:4 --stylize 750

수정 구슬 오르골, 얼음과 눈의 세계가 있는 유리 공, 순수한 흰색 톤, 몽환적이고 아름다운, 흰색 바탕, 클로즈업 샷, 흰 눈 배경, 흐린 눈 안개 --ar 3:4 --stylize 750

TOTOJI240728PROMPT

Here is the image of the crystal ball music box featuring a dreamy and beautiful fairytale village in a world of ice and snow. The pure white tones, snowy landscape, and cloudy snow fog create an ethereal and serene atmosphere. Enjoy the intricate details and festive charm!

얼음과 눈의 세계 속 몽환적이고 아름다운 동화 속 마을을 표현한 수정구슬 오르골 이미지입니다. 순백의 톤과 눈 덮인 풍경, 흐린 눈안개가 영묘하고 고요한 분위기를 자아낸다. 복잡한 디테일과 축제의 매력을 즐겨보세요!

DES.240729

이미지를 묘사해보세요

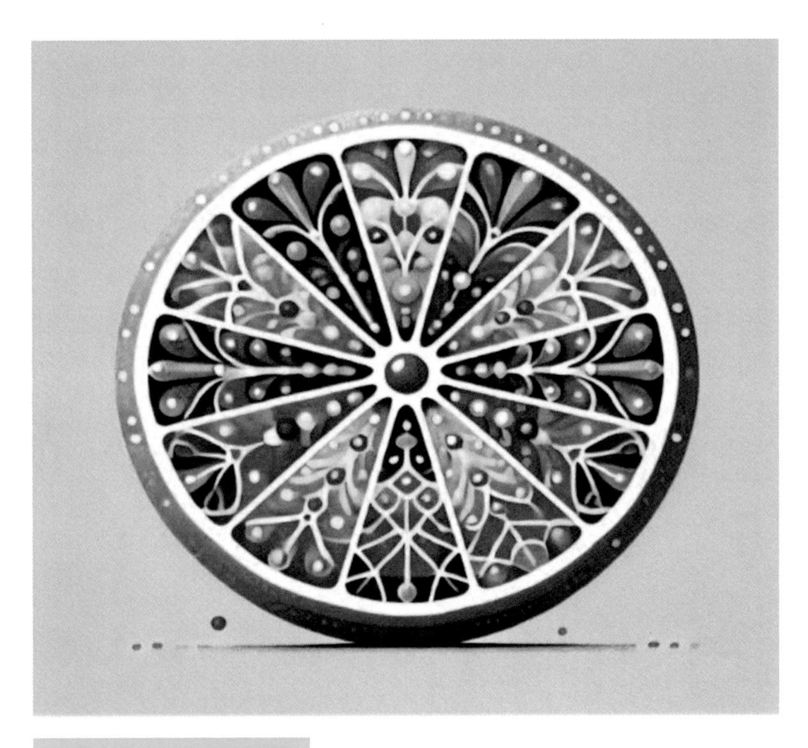

TOTOJI240729DES.

Here is the artistic representation of an orange cut in half, with the inside designed in a vibrant mosaic pattern and a simple light beige background. Enjoy the intricate details and lively feel!

반으로 자른 오렌지색을 예술적 표현으로 표현한 내부는 생동감 넘치는 모자이크 패턴과 심플한 연한 베이지색 배경으로 디자인되었습니다. 섬세한 디테일과 생동감 넘치는 느낌

PROMPT240729

Painting illustration, orange fruit that has surface like vibrant sparkling disco ball, mirror ball orange cut in half, sparkling mosaic art, aesthetic, illustration, sparkles, aesthetic , glam art, plain cream background, glamorous Citrus hybrid --ar 4:5

그림 일러스트, 생생한 반짝이는 디스코 볼과 같은 표면을 가진 오렌지 과일, 반으로 자른 거울 공 오렌지, 반짝이는 모자이크 아트, 미적, 일러스트, 반짝임, 미적, 글램 아트, 일반 크림 배경, 화려한 감귤류 하이브리드 --ar 4:5

TOTOJI240729PROMPT

Illustration illustration, orange fruit with vivid shiny disco ball-like surface, mirror ball orange cut in half, glitter mosaic art, aesthetic, illustration, sparkle, aesthetic, glam art, plain cream background, appetizing and colorful citrus hybrid -- ar 4:5

그림 일러스트, 생생한 반짝이는 디스코 볼과 같은 표면을 가진 오렌지 과일, 반으로 자른 거울 공 오렌지, 반짝이는 모자이크 아트, 미적, 일러스트, 반짝임, 미적, 글램 아트, 일반 크림 배경, 먹음직스럽고 화려한 감귤류 하이브리드 --ar 4:5

DES.240730

이미지를 묘사해보세요

TOTOJI240730DES.

A close-up of a beautifully detailed, crystalline snowflake with a cool, intricate pattern. The background features a softly blurred bokeh effect in cool blue tones with hints of warm orange from the snow-covered tree branches. Falling snowflakes add a dynamic and magical feel.

서늘하고 복잡한 패턴을 지닌 아름답고 세밀하고 결정적인 눈송이의 클로즈업입니다. 배경은 눈 덮인 나뭇가지에서 나오는 따뜻한 오렌지색의 힌트와 함께 시원한 파란색 톤으로 부드럽게 흐릿한 보케 효과를 특징으로 합니다. 떨어지는 눈송이는 역동적이고 마법 같은 느낌을 더합니다. 장면

PROMPT240730

Pure white snowflakes, Telephoto Lenses, High and short depth of field, Blind box toys, 16k, high resolution --ar 3:4 --stylize 750 --v 6

새하얀 눈송이, 망원 렌즈, 높고 짧은 피사계 심도, 블라인드 박스 장난감, 16k, 고해상도 --ar 3:4-스타일라이즈 750 --v 6

TOTOJI240730PROMPT

Beautiful pure white snowflake, telephoto lens, high and short depth of field, blind box baby toy, 16k, high resolution --ar 3:4-stylize 750 --v 6

아름다운 새하얀 눈송이, 망원 렌즈, 높고 짧은 피사계 심도, 블라인드 박스 애기 장난감, 16k, 고해상도 --ar 3:4-스타일라이즈 750 --v 6

DES.240731

이미지를 묘사해보세요

TOTOJI240731DES.

An artistic and vibrant illustration of space exploration featuring a rocket launching into space. The scene includes colorful clouds, stars, and planets, along with a highly stylized mix of bright and deep colors. The overall effect is dynamic and imaginative, capturing the excitement of the universe. travel.

우주로 발사되는 로켓을 특징으로 하는 우주 탐사에 대한 예술적이고 생동감 넘치는 그림입니다. 이 장면에는 밝고 깊은 색상이 고도로 양식화 된 혼합과 함께 다채로운 구름, 별, 행성이 포함되어 있습니다. 전체적인 효과는 역동적이고 상상력이 풍부하며 우주의 흥분을 포착합니다. 여행하다.

PROMPT240731

Spaceship, Woofo night sky sticker, playful watercolor style sticker, prominent bold edges, white background, the sticker should have a distinct white border similar to a cut-out effect. Add subtle shadows distributed evenly throughout the sticker to give it a slightly lifted look. The stickers should be arranged in a neat grid on a white background. It should have a wintry feel to it. It should be mysterious and beautiful. The feeling of space and the feeling of winter should be harmonious. --personalize k218hw2 qioml6z --v 6

우주선, 우포 밤하늘 스티커, 장난기 넘치는 수채화 스타일 스티커, 눈에 띄는 굵은 가장자리, 흰색 배경, 스티커는 잘라낸 효과와 비슷한 뚜렷한 흰색 테두리가 있어야 합니다. 스티커 전체에 고르게 분포된 미묘한 그림자를 추가하여 약간 들어 올려 보이도록 합니다. 스티커는 흰색 배경에 깔끔한 격자 모양으로 배열해야 합니다. 겨울 느낌이 나야 합니다. 신비롭고 아름다워야 합니다. 공간감과 겨울 느낌이 조화를 이루어야 합니다. --개인화 K218HW2 QIOML6Z --V 6

이번엔 개인화 코드가 2 개가 결합된 작품이에요.

다른 설명들은 차차 올려드릴게요.

요즘 너무 바쁘네요 ㅠㅠㅠ

내일은 코엑스에 협회에서 만든 영상이 전시된다고 해요. 그래서 협회이사님들과 몇 일을 날을 샜는지 ㅠㅠㅠ 토요일에 가보려고 합니다. ^^

그리고 3 기는 외계인이 나를 위한 향을 찾기 위해서 지구를 여행하는 컨셉입니다. 챌린지에서 바쁘셔도 열심히 컨셉을 잡고 작품활동을 하시는 소소한님과 시고르자브종님을 위해서 주제를 잡았어요. 9 월에 3 기에서 뵈요!!

TOTOJI240731PROMPT

Here is the vibrant illustration of space exploration featuring a rocket launching into space. The scene includes colorful clouds, stars, and planets with a highly stylized mix of bright and deep colors, capturing the dynamic and imaginative excitement of the universe. Enjoy the artistic depiction!

로켓이 우주로 발사되는 모습을 담은 생생한 우주 탐사 그림입니다. 이 장면에는 밝고 깊은 색상이 고도로 양식화된 혼합으로 다채로운 구름, 별, 행성이 포함되어 우주의 역동적이고 상상력이 풍부한 흥분을 포착합니다. 예술적인 묘사를 즐겨보세요!

마치며

Novaedu 및 TOTOJI 와 함께 30 일 AI 아트 챌린지를 완료한 것을 축하합니다! 지난 한 달 동안 귀하께서는 창의성과 최첨단 기술을 결합한 독특한 여정을 시작하셨습니다. 이 프롬프트 챌린지는 일련의 흥미롭고 상호작용 적인 단계를 통해 초보자에게 AI 생성 예술의 매혹적인 세계를 소개하기 위해 고안되었습니다.

이 챌린지를 통해 다음을 수행할 수 있습니다.

Novaedu 가 주는 이미지 받기: Novaedu 는 매일 귀하의 창작 과정을 시작할 수 있는 새롭고 영감을 주는 이미지를 제공했습니다.

프롬프트가 포함된 설명 이미지: 이러한 이미지를 사용하여 설명 프롬프트를 만드는 기술을 연마했습니다. 이 단계는 시각적 요소를 자세한 텍스트 설명으로 변환하는 방법을 배우는 데 중요했습니다.

프롬프트에서 생성된 아트: 사용자가 제작한 프롬프트를 사용하여 AI 모델이 새로운 이미지를 생성했습니다. 이 단계에서는 설명을 기반으로 예술 작품을 해석하고 재현하는 AI 의 놀라운 능력을 보여주었습니다.

제공된 프롬프트 작업: Novaedu 는 초기 이미지를 생성하는 데 사용된 원본 프롬프트를 제공하여 사용자가 자신의 설명과 비교하고 대조할 수 있도록 했습니다.

새 창작물을 위한 변형된 프롬프트: 마지막으로 제공된 프롬프트를 선택하고 TOTOJI 의 안내에 따라 창의적으로 수정했습니다. 이는 새롭고 독특한 예술 작품의 탄생으로 이어졌고, 예술 과정에서 AI 의 다양성과 잠재력을 보여주었습니다.

지난 30 일을 되돌아보며 AI 를 예술에 얼마나 이해하고 활용했는지 생각해 보세요. 귀하는 창의성과 기술을 결합하여 미래 프로젝트에 대한 무한한 가능성을 열어주는 새로운 기술 세트를 개발했습니다.

이 여정은 예술적 지평을 넓혔을 뿐만 아니라 아이디어를 시각적 걸작으로 바꾸는 AI 의 힘을 보여주었습니다. 계속해서 스스로 AI 예술을 탐색하든, 새로 발견한 지식을 다른 사람과 공유하든, 창작 과정은 지속적인 모험이라는 점을 기억하세요.

이 흥미로운 도전에 동참해 주셔서 감사합니다. 우리는 여러분이 이 경험을 즐기셨기를 바라며 AI 생성 예술 세계에 대한 지속적인 관심을 불러일으켰기를 바랍니다. 계속 실험하고, 계속 창조하고, 가장 중요한 것은 예술 작품을 계속 재미있게 즐겨보세요.

즐겁게 만들어 보세요!

도움 주신 분들

한국AI작가협회 회원분들

Jhonspie: AI Multi_artist tutorage, KAAA Director

SunnyJ: AI Picture Book Artist, KAAA Director

김예은: 교육전문가 Supervision, KAAA Chairwoman

Dolppu : KAAA Community Manager

MKYU: **김미경 학장님,** 514챌린지 19, 21번, 서울북부방

김동석: AI브랜딩 연구소장님과 라브연 선생님

손유미: 한자의 깨알 재미 샘과 수미챌 수미님들

이진호: 성공습관 코칭연구소 원장님

어윤재: 공학박사 뉴미디어능력개발원㈜ 대표이사

김미영: Adobe박사님 더조은컴퓨터아카데미 전주

연삼흠: 코리안투데이 대표이사

변아롱: 책 표지 디자인, 내지 편집 디자인

WIFE: 정채성세라피나

FAMILY: 지태섭요셉, 조금옥율리안나,
정용선, 최희순모니카,
지정민케루비나, 김현욱, 김지안,
지상욱미카엘, 정지예유스티나,
지영상라파엘.

끊임 없는 지도와 응원, 주님의 은총으로 완성할 수 있음에 감사합니다!

이 책이 AI를 활용하여 작가님들이 그림을 그리는데 있어 프롬프트를 어떻게 만들어야 AI와 대화를 할 수 있는지에 도움되길 희망하며, 우리들은 주변에 어려움을 겪는 분들이 없는지를 살펴보고, 조금만이라도 이해와 포용하는 마음으로 동행하기를 바랍니다.

참고 AI

AskUp, Bard, Bing, chatGPT, Midjourney, MiriCanvas, NightCafe Creator, Phototshop, Que, Stable Diffusion, ;wrtn 등

Novaedu 프롬프트로 그리는 AI 그림 2
(AI 그림, 토토지와 함께 펼쳐봐!)

발행일 2024년 08월 01일

지은이 지승주 (TOTOJI) 김예은(Novaedu)

펴낸이 한건희

디자인 신소진

펴낸곳 ㈜부크크 서울시 금천구 가산디지털로 119 SK트윈테크타워 A동 305-7호

출판사등록 | 2014.07.15(제2014-16호)
대표전화 1670-8316

㈜부크크 홈페이지 https://bookk.co.kr/

이메일 | info@bookk.co.kr
ISBN | 979-11-410-9907-7

노바에듀와 토토지 두 작가가 공동으로 출간한 이 프롬프트 챌린지 북은 단순히 기술적인 도구로서의 AI 를 넘어서, 예술적 창의성과 진정성을 갖춘 작품들로 독자들에게 새로운 감동을 안겨줄 것입니다. 이들은 서로의 강점을 살려 AI 와의 상호작용을 통해 새로운 시각과 이야기를 창출해냈습니다. 독자들은 이 책을 통해 AI 가 미래의 예술과 창작 과정에서 어떤 역할을 할 수 있는지를 직접 체험하게 될 것입니다. 2024.07.31.

- 신소진 루돌뿌 작가 -